УДК 821.113.6-93
ББК 84(4Шве)
К49

ISBN 978-5-00041-096-7

Ларс Клинтинг

Огород Кастора

Перевод со шведского Ксении Коваленко

Москва
Издательство «Мелик-Пашаев»
2020

Цветок у Кастора на окне завял...
«Это никуда не годится, — подумал Кастор. —
Надо посадить новый».

— Какой бы мне выбрать цветок?
Синий? А может быть, белый?
Нет, самые красивые — розовые!
Ой, что это катится по полу?

Фриппе ходил в магазин и принёс полную сумку продуктов. Оттуда выпал пакетик с белой фасолью, которую Кастор хотел сварить на обед.

— Погоди-ка, — говорит Кастор. — Ведь эти фасолины можно прорастить!

— Точно! Давай посадим их на подоконнике!

Вечером Кастор достаёт фасоль и кладёт её в миску с водой.

— Фасолины прорастут быстрее, если на ночь их замочить, — бормочет Кастор сквозь сон. — Так говорит дядюшка Самсон, он опытный садовник.

На следующее утро Кастор и Фриппе отправились в сарай дядюшки Самсона. Чего там только нет! Дядюшка разрешает Кастору брать оттуда всё, что ему понадобится. Хм, интересно, что ищут Кастор и Фриппе?..

Да вот же она! Большая книга садовода!

Здесь написано, как выращивать фасоль.

Кастор достаёт

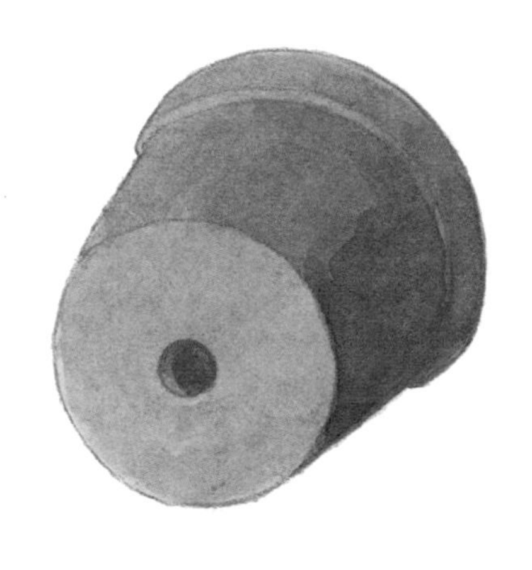

большой глиняный горшок

...и маленький горшочек,

лопатку,

два глиняных черепка

и пакет с землёй.

Кастор прикрывает черепками дырки в горшках, чтобы земля не просыпалась. Затем он насыпает туда землю.

Кастор достаёт фасолины из воды.
Ого, да они стали почти вдвое больше!

Затем берёт толстую палочку,
затачивает её и рисует
на ней отметку.

Кастор делает в земле лунки. По три в каждом горшке. Он протыкает землю ровно до отметки посередине палочки, чтобы все лунки были одинаковой глубины. В каждую лунку Фриппе кладёт по фасолине. И засыпает их землёй.

— Несколько фасолин осталось, — говорит Фриппе.

— Ничего, я о них позабочусь, — отвечает Кастор.

Фриппе берёт маленькую леечку...

...и осторожно поливает землю в горшках.
— Не лей слишком много! — предупреждает Кастор. —
Иначе фасолины утонут в воде!

Пока Фриппе занимался поливкой, Кастор незаметно проскочил в сад и посадил у стены оставшиеся фасолины.
Здесь всегда солнечно и тепло — лучше места не найдёшь!

Теперь надо набраться терпения и ждать. Фасоль торопить бесполезно, она от этого быстрее не вырастет. Надо только вовремя её поливать.

«Ну сколько можно, уже целая неделя прошла!» — думает Фриппе.

И вот однажды утром...

— Кастор! Смотри! Ростки появились!

В горшочке у Фриппе проросли все три фасолины. А у Кастора — только две.

Кастор и Фриппе берут бамбуковые палочки и аккуратно втыкают их в горшки — до самого дна. Теперь росткам есть за что зацепиться, когда они подрастут.

Они поливают ростки каждый день,
а те всё растут...

...и растут...

...просто на глазах!
Под конец зелёные листья заслоняют всё окно.
— Ты только глянь, какие красивые цветки! — любуется Кастор.
— Это ещё что, ты на стручки посмотри! — кричит бобрёнок.

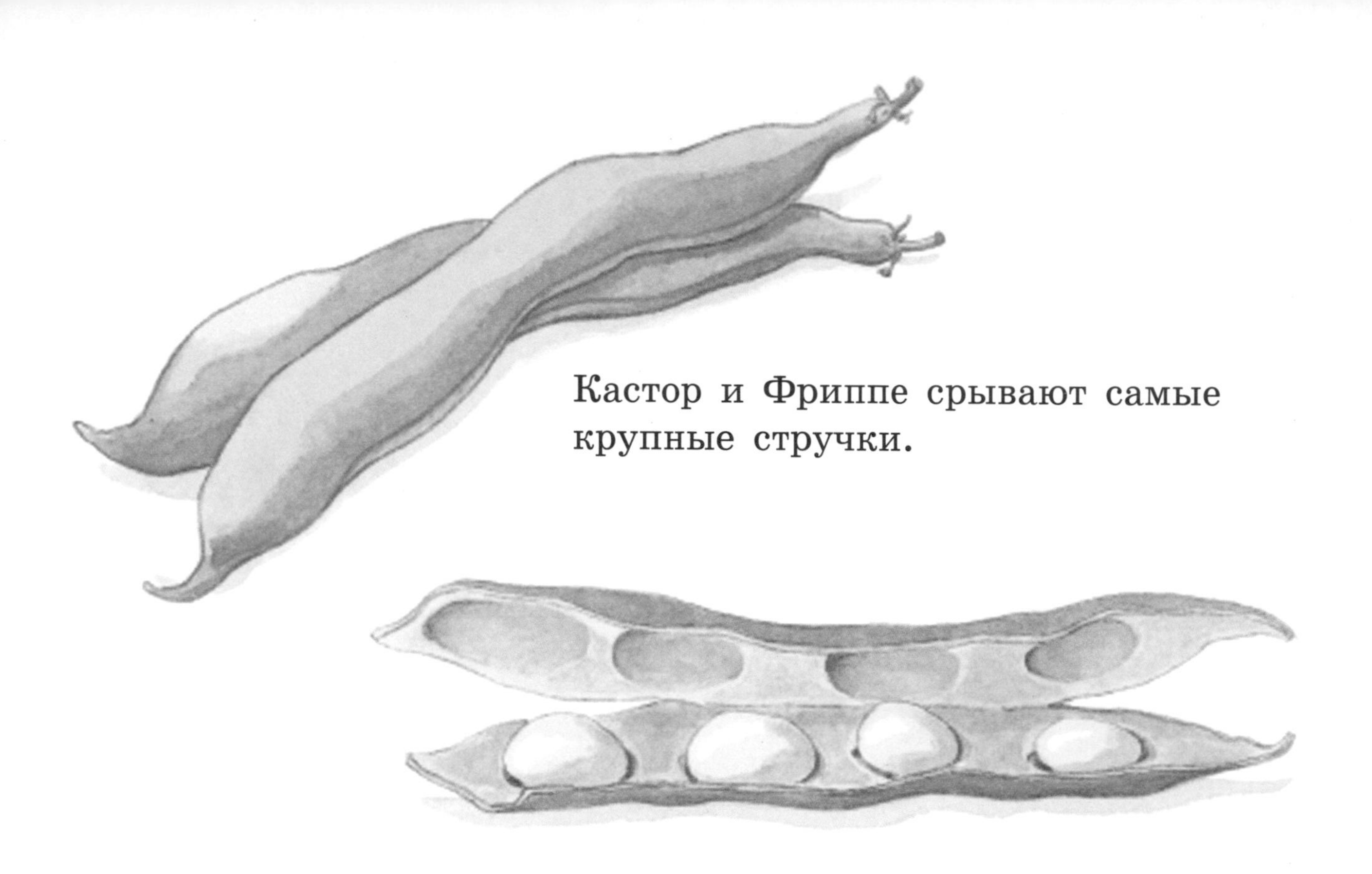

Кастор и Фриппе срывают самые крупные стручки.

В каждом из них по нескольку фасолин.

Снаружи они покрыты белой оболочкой.

А внутри — зелёные.

Кастор и Фриппе раскрывают стручки и счищают с фасолин белую оболочку. В этом деле нужна сноровка!

Потом они бросают фасоль в кипящую воду на несколько минут и раскладывают по тарелкам.
В каждую тарелку Кастор кладёт по кусочку масла:
— Так-то вкуснее!

— Представляешь, какой урожай всего из пяти фасолин, что просыпались из пакета! — удивляется Кастор. — На подоконнике красота и вкусный обед в придачу. Ой, Фриппе, а что это там возле стены? Ну-ка пойдём посмотрим!..

— Да ведь это фасоль! — радуется бобрёнок.—И откуда она здесь взялась?
— Ну и ну! — говорит Кастор. — Значит, завтра у нас опять будет вкусный обед из свежей фасоли. Ты не против?
— Конечно нет!

Как вырастить самую вкусную фасоль? Советы от Кастора

фасоль белая

Сушёную белую фасоль, которую купил Фриппе, проращивать легко. Она прорастает быстро и увеличивается в размерах буквально на глазах. Можно попробовать посадить и другие виды фасоли, которые продаются в продуктовых магазинах.

В магазинах, где продают семена, ты найдёшь ещё больше сортов фасоли, ведь фасолины — это те же семена.

фасоль коричневая

Лучше всего сажать фасоль весной, ведь ей нужно много солнца и тепла. Хотя дома на подоконнике можно проращивать фасолины круглый год. Ростки будут не такими красивыми и большими, зато можно понаблюдать, как они растут.

фасоль чёрная

Фасолины надо зарывать на глубину, которая в два раза превышает их собственный размер. Это правило подходит почти для всех семян.

Не забывай поливать землю в горшках! Воды лей не слишком много, но и не слишком мало. Земля должна быть влажной. Если налить больше воды, чем нужно, корни могут загнить. Поэтому в дне горшка обычно проделана дырочка, через которую вытекает лишняя влага.

«Чёрный глаз»

Сушёная фасоль очень твёрдая, её надо долго варить. А свежая такая нежная, что достаточно нескольких минут.

фасоль Пинто

Свежие фасолины проращивать нельзя. Надо подождать, пока они созреют и станут твёрдыми. Тогда они накопят достаточно сил, чтобы прорасти и стать настоящим растением.

Можно оставить несколько стручков дозревать прямо на стебле. Осенью их надо собрать и отнести в дом. Зимой фасоль хранят в сухом месте.

фасоль Кидни

А когда наступит весна, фасолины можно посадить в горшках. Они прорастут, и всё начнётся заново!..

Для чтения взрослыми детям 0+
Для дошкольного возраста

Lars Klinting
CASTOR ODLAR

Ларс Клинтинг
ОГОРОД КАСТОРА

Перевод со шведского Ксении Коваленко

Клинтинг Л.
К49 Огород Кастора: познавательная сказка с картинками / Ларс Клинтинг ; [пер. со швед. К. Коваленко]. — М.: Издательство «Мелик-Пашаев», 2020. — 36 с.: цв. ил.

ISBN 978-5-00041-096-7

Бобёр Кастор и его маленький друг Фриппе обожают сажать, поливать и возиться с землёй. Однажды они решают посадить в горшочке фасоль. Интересно, когда она прорастёт? И хватит ли её на обед?

Книга подробно расскажет о том, как устроить настоящий огород у себя на подоконнике и даже собрать урожай. Это совсем не сложно, если делать всё в точности, как Кастор и Фриппе.

УДК 821.113.6-93
ББК 84(4Шве)

Редактор Дарья Соколова
Вёрстка Елены Ниверт
Корректор Екатерина Бардина

Подписано в печать 11.03.2020. Формат 60×90/8
Тираж 3000 экз. Заказ № 2004610

Издательство «Мелик-Пашаев»
www.melik-pashaev.ru

EAC

arvato BERTELSMANN Supply Chain Solutions

Отпечатано в полном соответствии с качеством предоставленного электронного оригинал-макета в ООО "Ярославский полиграфический комбинат" 150049, Россия, Ярославль, ул. Свободы, 97